ESTE LIBRO PERTENECE A:

Actividades fisicas

Editado por Scholastic Inc., 90 Old Sherman Turnpike, Danbury, CT 06816

SCHOLASTIC y los logotipos asociados son marcas de producto y/o marcas registradas de Scholastic Inc.

ISBN 0-439-90517-6

Título del original en inglés: Pixel's Real Test

Traducción de Daniel A. González y asociados

Impreso en Estados Unidos de América

Primera impresión de Scholastic, septiembre de 2006

La verdadera prueba de Píxel

por
Justin Spelvin

ilustrado por
Artful Doodlers

SCHOLASTIC INC.
Nueva York Toronto Londres Auckland Sydney
Ciudad de México Nueva Delhi Hong Kong Buenos Aires

Faltaban sólo tres días para los exámenes de la
Escuela de LazyTown. Píxel invitó a sus amigos a su
casa para estudiar juntos.

Píxel siempre sacaba buenas calificaciones en todas
las materias . . . excepto una.

—Soy muy malo en gimnasia —les dijo Píxel a sus amigos—. No soy ni rápido ni fuerte. El año pasado ni siquiera pude hacer una flexión.

—No te preocupes, Píxel —dijo Stephanie—, te ayudaremos a practicar para la prueba de gimnasia y tú puedes ayudarnos a estudiar matemáticas.

Robbie Rotten estaba escuchando y se le ocurrió una idea muy mala.

—Haré que ese líder de los estudios se vea muy mal. Entonces, todos los niños dejarán de estudiar y volverán a ser perezosos.

Un poco más tarde, un vendedor de zapatillas tocó la puerta de Píxel.

—¡Necesitas las Zapatillas Veloces 3000! —dijo.

—¿Qué? —Píxel estaba confundido.

—Pruébatelas —susurró el vendedor—, correrás más rápido y saltarás más alto que nadie. ¡Esa prueba de gimnasia será pan comido!

Píxel tenía tantas ganas de aprobar su prueba de gimnasia que estaba dispuesto a intentar cualquier cosa. Se ató los cordones de las zapatillas y salió corriendo. Con las nuevas Zapatillas Veloces, ¡Píxel podía correr más rápido y saltar más alto que nunca!

—¡Increíble! —gritó—. ¡Si uso estas zapatillas, voy a sacar una buena calificación en la prueba de gimnasia!

Pero cuando trató de regresar a casa, las cosas empezaron a ir mal. Las zapatillas hacían lo que querían. Los pies de Píxel seguían moviéndose cada vez más rápido.

Sportacus estaba haciendo ejercicios en su nave espacial cuando su cristal se encendió.

—¡Ay, no! —dijo—. ¡Parece que alguien necesita ayuda! De inmediato Sportacus se puso en camino.

Píxel giraba y giraba en su patio. —¡No puede detenerse! —explicó Stephanie.

—¡Zzzapatiiillaaas! —Píxel jadeaba cada vez que pasaba frente a ellos.

—¡Tal vez el problema son las zapatillas! —adivinó Sportacus.

—Pero, ¿cómo se las van a quitar?

—¡Ya lo sé! —dijo Sportacus—. Píxel, salta y agarra la rama de ese árbol. Agárrate bien y nosotros te quitaremos las zapatillas.

Píxel sacudió la cabeza. Si no podía hacer ni una flexión, ¿cómo iba a agarrarse a la rama del árbol el tiempo suficiente como para que le quitaran las zapatillas?

—Tú puedes hacerlo, Píxel —gritó
Sportacus—. ¡Haz un esfuerzo!

—¡Vamos, Píxel! —los demás lo animaban.

Píxel respiró hondo y saltó.

Píxel agarró la rama
y se sostuvo con todas
sus fuerzas.

Trixie y Stingy
tiraron y tiraron de
las Zapatillas Veloces.
Justo cuando
Píxel creía que
no podía
aguantar más . . .

18

¡*Pop!* Las zapatillas salieron volando.
¡Lo lograste! —todos lo felicitaron.

Píxel estaba avergonzado. —Yo sé que no debí haberme probado las zapatillas —le dijo a sus amigos—, pero quería sacar una buena calificación en mi prueba de gimnasia.

—Pero no necesitas zapatillas especiales para hacerlo —dijo Stephanie.

—¡Así es! —agregó Sportacus—. Todo lo que necesitas para lograr buenas calificaciones son las tres P: ¡práctica, práctica, práctica!

Píxel sonrió. Era igual que estudiar para cualquier examen.

—¡Empecemos ahora mismo! —los animó Sportacus.

Los dos días siguientes, la pandilla estudió y practicó.

Corrieron y leyeron. Ejercitaron sus cerebros y sus cuerpos.

Cuando llegó el gran día, todos estaban preparados.
Todos salieron muy bien en sus exámenes.

Píxel hasta tuvo una calificación perfecta en su
prueba de gimnasia¡

—Pero ¿por qué no te pusiste las Zapatillas Veloces 3000? —preguntó enfadado el vendedor de zapatos.

—Esas zapatillas son un desastre —respondió Píxel.

—¡No es verdad! —dijo el vendedor— ¡Mira!
En cuanto se ató los cordones de las zapatillas,
sus pies despegaron. Corrió tan rápido que su
disfraz quedó atrás.

—¡Es Robbie Rotten! —dijo Píxel— ¡Deténganlo!
Pero Robbie iba a correr por mucho, mucho tiempo.

—Un poco de ejercicio le hará bien —dijo Sportacus.

—¡Así como practicar me hizo muy bien a mí! —dijo Píxel sonriendo.

Correr súper rápido y saltar realmente alto fue
muy divertido.

¡Pero lograr buenas calificaciones con práctica
fue mucho mejor!

Fundamentos de Aprende jugando de Nick Jr

¡Las habilidades que todos los niños necesitan, en cuentos que les encantarán

 colores + formas — Reconocer e identificar formas y colores básicos en el contexto de un cuento.

 emociones — Aprender a identificar y entender un amplio rango de emociones: felicidad, tristeza, entusiasmo, frustración, etc.

 imaginación — Fomentar las habilidades de pensamiento creativo a través de juegos de dramatización y de imaginación.

 matemáticas — Reconocer las primeras nociones de matemáticas del mundo que nos rodea: patrones, formas, números, secuencias.

 música + movimiento — Disfrutar el sonido y el ritmo de la música y la danza.

 actividades físicas — Promover coordinación y confianza a través del juego y de ejercicios físicos.

 resolución de problemas — Usar habilidades de pensamiento crítico (observar, escuchar, seguir instrucciones) para hacer predicciones y resolver problemas.

 lectura + lenguaje — Desarrollar un amor duradero por la lectura a través del uso de historias, cuentos y personajes interesantes.

 ciencia — Fomentar la curiosidad y el interés en el mundo natural que nos rodea.

 habilidades sociales + diversidad cultural — Desarrollar respeto por los demás como personas únicas e interesantes.

Actividades físicas

Estímulo de conversación

Preguntas y actividades para que los padres ayuden a sus hijos a aprender jugando.

¡Organiza con tus amigos los juegos olímpicos de LazyTown! Las carreras de relevo, los bailes con las letras del alfabeto y las carreras de contar números son formas excelentes de entrenar tu mente y tu cuerpo como hicieron Pixel y sus amigos.

Para encontrar más actividades para padres e hijos, visita el sitio Web en inglés www.nickjr.com.